THE BROONS

PEFC Certified

This product is from sustainably managed forests and controlled sources

PEFC/18-31-107   www.pefc.co.uk

THE BROONS THINK GRANPAW'S ACTIN' WEIRD JUST BECAUSE HE'S TRIMMED HIS BEARD!

WATCH DOREEN CHANGE HER TUNE, WHEN SHE SEES MAW'S HAIR DOON!

MRS BROWN - OUT WITH THE FAMILY AS ALWAYS. DON'T YOU WISH YOU COULD DO THINGS ON YOUR OWN WITHOUT THAT LOT.

HELLO, DOREEN. STILL KEEPING FIT I SEE.

BREAK FREE, LET YOUR HAIR DOWN AND DO SOMETHING OUT OF THE ORDINARY.

AYE THAT'D BE NICE, AS LONG AS I'M HAME TAE MAK' THE TEA.

I'VE TAKEN UP CROSS-COUNTRY RUNNING. JOIN ME TOMORROW IF YOU'RE NOT IRONING YOUR HUSBAND'S UNDERPANTS OR SOMETHING.

AYE, I MICHT JIST DO THAT.

THE NEXT DAY AT GLEN DOON...

REALLY, WHAT A SIGHT! YOUR RUNNING GEAR IS AS OLD-FASHIONED AS YOUR HAIRSTYLE.

THAT DISNAE MATTER, DOREEN, DEAR - I'VE TAE LET MY HAIR DOON, YE SAID.

JUST LIKE THIS.

EEK! I CAN'T SEE.

GRACIOUS!

SPLAT!

YUCK! I'M COVERED IN MUD.

NO, I THINK IT'S MAISTLY SHEEP POO.

Y'KNOW YOU'RE RIGHT, DOREEN. IT HAS BEEN REALLY BRAW LETTING MY HAIR DOON.

JUST CALL ME A TAXI, WILL YOU!

HOW MANY BROONS MEN DOES IT TAKE TAE HELP MAW WI' HER HEADACHE?

DAPHNE'S NO' FEELIN' TOO GREAT, AFTER WHIT SHE'S EATEN ON HER DATE.

THE BROONS AYE HAVE A CAPER, WHEN PAW TRIES TAE READ THE PAPER.

READ ME A STORY, PAW.

I'M BUSY READIN' MY PAPER, MY WEE LAMB.

WHAT AN AULD MISERY, REFUSING TAE READ TAE THE BAIRN.

AYE. IT'S MY BEST BOOK TAE.

JOE?! WHAT ARE YE PLAYIN' AT?

YOU CANNAE READ THE WHOLE PAPER. I'M JIST TAKING THE SPORTS SECTION.

GOOD IDEA. I'LL HAE THE FASHION PAGES.

HANDS AFF!

HEALTH PAGES FOR ME.

I'LL TAK' THE BUSINESS SECTION.

WE'LL HAE THE JOKES.

MY PAPER'S BEEN POACHED.

A'RICHT. I'LL READ YER BOOK TAE YE.

ME WOULD RATHER READ THE COMICS FRAE THE PAPER.

ENJOYIN' YER PAPER, PAW?

WHEESHT. I'M READIN' - AN' I'M NO' SPEAKIN' TO YE EITHER!

Little Lamb visits Bunnytown

FORGET SANTA AN' HIS ELVES,
THE BROONS ARE MAKIN' PRESENTS THEMSELVES!

THE LASSES LEARN IT'S BETTER TAE HAVER, THAN ASK GRANPAW FOR A FAVOUR!

WE'VE DONE OOR CHRISTMAS SHOPPING ONLINE, IT'S WAY CHEAPER.

IT'S GETTING DELIVERED TOMORROW. ARE YE IN A' DAY, MAW?

NAE CHANCE, I'M GOIN' CHRISTMAS SHOPPING DOON AUCHENTOGLE HIGH STREET. SOMEBODY HAS TAE KEEP OOR SHOPS GOIN'.

WHIT ARE YE DAEIN' TOMORROW, GRANPAW?

MEETING MY CRONIES AT OOR SEAT IN THE PARK FOR A BLETHER.

YE SHOULD COME HERE, HAE A BLETHER IN COMFORT AN' YE CAN SIGN FOR OOR DELIVERIES WHEN THEY ARRIVE.

THE NEXT DAY...

THIS IS BETTER THAN SITTING IN THE PARK ONYDAY.

AYE, AN' PLENTY O' COAL TAE KEEP THE FIRE GOIN'.

IT COULD BE A LANG WAIT SO I'LL GET THE KETTLE ON AND WE'LL HAE A CUPPY WI' THIS CAKE.

LOOK, THERE'S AN AULD WAR FILM ON.

TURN UP THE SOUND, MY HEARING AID IS NEEDIN' BATTERIES.

AN' SEE IF THERE'S ONYTHING ELSE TAE EAT IN THE KITCHEN.

BOOM!

BANG!

WILL IT NO' GO ONY LOUDER?

NAW, THAT'S IT AT FULL VOLUME.

I MUST SAY, YER DOCHTER-IN-LAW'S A BRAW BAKER.

WHIT'S WRANG WI' THEM, ARE THEY DEAF IN THERE? I NEED SOMEBODY TAE SIGN FOR THE PARCELS!

(10)

LATER...

HELLO, MAW - IS THAT YOU HAME? WE'LL, ER, JUST GET AWA' THEN.

WHIT'S BEEN GOIN' ON HERE? IT LOOKS LIKE THERE'S BEEN A SCHOOL PICNIC.

WHAUR'S OOR PARCELS?

ER... THE DELIVERY DRIVER NEVER CAME, LASSIES.

AYE HE DID, HE PUT THIS CARD THROUGH THE LETTERBOX SAYING NAEBODY WID ANSWER THE DOOR!

WHEN YE DO GET YER ONLINE SHOPPING IT'S NO' GONNAE BE MUCH CHEAPER. YOU OWE ME FIR A WEEK'S SUPPLY O' MESSAGES THAT YER HOOSE-SITTERS SCOFFED.

MAW'S GONNAE GIE PAW THE BOOT, UNLESS HE CLEANS UP THAT OLD SUIT!

IT'S AWFY HARD TAE BEAT
A CHRISTMAS ON GLEBE STREET!

CHRISTMAS DAY AT NUMBER TEN IS ALWAYS FULL OF KISSES.

MUD PACK

EVEN FOR THE KITCHEN STAFF BUSY DOING DISHES.

YE'RE A BRAW HELP, PAW.

THEN A' SIT DOON TAE CHRISTMAS DINNER – WHERE TURKEY IS AYE A WINNER.

HORACE THOUGH IS IN THE HUFF – HE'S LEFT NAE SPACE FOR MAW'S PLUM DUFF.

DINNA LET HEN AND JOE FINISH IT A', MAW.

THE FESTIVE FILM IS AULD AND BORING – DISNAE MATTER FOR THEY'RE A' SNORING.

BOOM!

Z Z Z

UNTIL HER MAJESTY'S MESSAGE TAE THE NATION – GIES ONE SOME MOTIVATION.

ATTENTION! BE UPSTANDING FOR HER MAJESTY.

RE-ENERGISED, JOE STRAPS ON HIS BOX – AND VERY SOON 10 GLEBE STREET ROCKS.

HEEE-OOOCH!

THEY HAUD YE ALL SO VERY DEAR – AN' SEND TAE YE THEIR CHRISTMAS CHEER.

MERRY CHRISTMAS TAE ONE AND A'.

WE'RE IN FOR A BRAW CELEBRATION, THE BROONS ARE ON A TV STATION!

THE KIDS ARE BIDING WI' ME THE NICHT SO I'M NO' BRINGING IN THE NEW YEAR ON MA AIN.

SEE YE NEXT YEAR, MAW!

THAT'S BRAW, MA WEE LAMB.

WE'RE GOING DOON TAE THE SQUARE TAE SEE IN THE NEW YEAR. THERE'S A BAND PLAYING AN' FIREWORKS AN' STUFF.

ARE YOU TWA COMING DOON TAE?

NAW, IT'S TOO CAULD TAE BE AWA' OOTSIDE.

WE'LL JUST BIDE BY THE FIRE.

WAHOO! JUST OOR TWA SEL'S TAE BRING IN THE NEW YEAR. WHIT A TREAT.

AYE, MAKES A CHANGE FRAE WATCHING THE KIDS ALL THE TIME.

BIRL!

WE CAN HAE OOR AIN WEE CELEBRATION.

AND WATCH THE NEW YEAR PROGRAMMES ON TELLY.

TONIGHT WE BRING IN THE NEW YEAR IN AUCHENTOGLE WHERE THE CROWDS HAVE GATHERED FOR THE BELLS.

WHIT? THE CAMERAS ARE HERE IN AUCHENTOGLE!

HA-HA! JOE'S LEADING THE DANCING.

♫♪ SKIRL!

TUT! THAT'S AN AWFY SHORT KILT MAGGIE HAS OAN.

WHIT A HOOT - HEN'S BEEN CELEBRATING ONYWAY.

LOOKS LIKE DAPHNE HAS A CLICK FOR THE NEW YEAR.

WELL WE ENDED UP WATCHING THE KIDS EFTER A'.

AND IT WAS RARE FUN. HAPPY NEW YEAR AND BEST WISHES FOR 2019.

PAW'S CHOICE O' FIRST-FOOT QUICKLY GETS THE BOOT!

WE'D BETTER SEE HOW THE BUT AN' BEN IS DOING.

AYE, FIRST O' VISIT O' 2019.

WAIT, YOU'LL BE THE FIRST-FOOT - AND IT'S UNLUCKY TAE FIRST-FOOT YERSEL'.

AYE, YE'RE RIGHT.

IT DISNAE MATTER - JUST GET IN OOT THE CAULD.

DAE US A FAVOUR, LADDIE, AND BE FIRST TAE COME IN OOR HOOSE. I'LL GET YE A WARM CUP O' TEA AND A SCONE INSIDE.

NAE BOTHER.

NAW, HE HAS FAIR HAIR - IT HAS TAE BE SOMEONE WI' DARK HAIR.

MAKE AN EXCEPTION JUST THIS ONCE, MAW.

C'MON, MA WEE LAMB, LET'S GO ROOND THE BACK AND SEE IF THE BACK DOOR IS OPEN.

BRAW IDEA, GRANPAW.

SHORTLY...

ME FOUND A FIRST-FOOT, MAW! YE CAN COME INSIDE NOW.

WHAUR DID SHE FIND A FIRST-FOOT?

IN THE BACK GARDEN. IT'S TAM, OOR AULD SCARECROW.

HE'LL DAE FINE, PET. GET THE KETTLE ON, MAW.

HERE'S TAE MANY BRAW HOLIDAYS AT THE BUT AN' BEN.

I'LL GET TAM A NEW BUNNET FOR BEING SUCH A HELPFUL LAD.

THE BROONS ARE FEELIN' THANKFUL
UNTIL THEY GET A TANK-FULL!

GRANPAW BROON MAY BE ASTUTE,
BUT EVEN HE CANNAE SPOT A SUBSTITUTE.

HEN IS FEELIN' MICHTY FINE,
HIS HEART IS CLIMBIN' TAE CLOUD NINE!

MICHTY, WHIT'S WRANG, HEN?

MY BACK – I'VE INJURED MY BACK.

YE GREAT STREAK O' MISERY. YER BACK'S OWER LANG.

POOR HEN, COME TAE MY FOOTBALL TRAINING. OOR PHYSIO WILL TAK' A LOOK AT YER BACK.

HERE'S SHONA OOR PHYSIO – SHE'S ALSO OOR GOALKEEPER.

SHONA THIS IS MY BROTHER, HEN. HE'S GOT A SAIR BACK. COULD YE HAE A LOOK AT IT?

CRICK.

OF COURSE, HEN – COME INTAE THE TREATMENT ROOM.

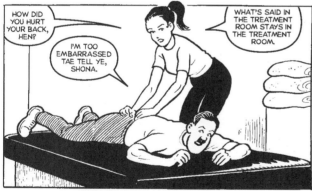

HOW DID YOU HURT YOUR BACK, HEN?

I'M TOO EMBARRASSED TAE TELL YE, SHONA.

WHAT'S SAID IN THE TREATMENT ROOM STAYS IN THE TREATMENT ROOM.

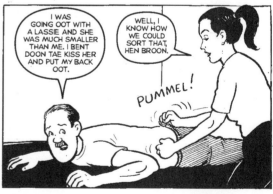

I WAS GOING OOT WITH A LASSIE AND SHE WAS MUCH SMALLER THAN ME. I BENT DOON TAE KISS HER AND PUT MY BACK OOT.

WELL, I KNOW HOW WE COULD SORT THAT, HEN BROON.

PUMMEL!

I'LL PICK YOU UP AT TWO TOMORROW, SHONA.

IT'S A DATE, HEN BROON.

THE NEXT AFTERNOON...

VISITING THE GIRAFFES IS MY FAVOURITE DAY OUT.

AYE, US TALL FOWK HAE TAE STICK TOGETHER.

NAE MAIR SAIR BACKS THEN?

THAT'S ALL TAKEN CARE OF.

YE GREAT LOVESTRUCK LADDIE. WATCH YE DINNAE DO IT A MISCHIEF CAPERING ABOOT LIKE THAT.

HEN BROON'S GONNAE GROAN,
WHEN HE SEES WHIT'S HAPPENED TAE HIS PRECIOUS PHONE!

MAW'S POOR WEE LASS WILL TAK' IT HARD,
IF THE POSTIE DISNAE BRING A VALENTINE'S CARD.

THE BROONS JUST CANNAE KEEP TABS, WHEN THE LAST PIECE O' BACON IS UP FOR GRABS!

GUESS IT'S JUST THE PRICE O' FAME, BUT WE'RE NO' SURE SANJEEV'S STILL GAME!

JUST POPPED IN TAE THE STUDIO TAE SAY GOOD LUCK FILMIN' THE LAST SERIES O' STILL GAME, SANJEEV.

ONE SCOTTISH COMEDY ICON TAE ANOTHER. THAT'S BRAW, MAW.

I KNOW THEY'RE ACTING BUT LISTENING TAE JACK AND VICTOR MOAN A' THE TIME DOES MA HEID IN.

COME ROOND TAE GLEBE STREET AND HAE A CUPPY TEA AN' A SCONE. THAT'LL RELAX YE.

I'VE BROCHT SANJEEV HAME FOR A CUPPY TAE GET AWA FRAE THE STUDIO FOR A WHILE.

THIS IS VERY KIND.

WE'RE HONOURED, SANJEEV. WE'LL TAK' YER MIND AFF WORK.

NEVER MIND TEA, LADDIE - WE COULD HAE A WEE DRAM, THIS BEING A SPECIAL OCCASION.

YE AND YER SPECIAL OCCASIONS. IT'S MA THIRTY-YEAR-OLD MALT YE'RE TALKING ABOOT.

THAT SOUNDS LIKE JACK.

IT'LL BE SIXTY-YEAR-OLD AFORE YE OFFER ONYBODY A DRAM, YE SKINFLINT!

AND VICTOR.

IS IT RIGHT THAT AMY MACDONALD IS IN THIS LAST SERIES O' STILL GAME? TELL ME, I'LL NO' BREATHE A WORD O' IT.

HI, DAPHNE. AYE, THAT'S RIGHT.

BELLA, IT'S RIGHT - NAVID HIMSEL' JUST TELT ME.

THAT'S JUST WHAT ISA WOULD DO.

TELL THEM A' TAE SHUT UP OR GET OOT O' THE HOOSE!

AND THAT SOUNDS LIKE MY LOVELY WIFE MEENA!

JINGS! CRIVVENS AND HELP MA BOAB! STILL GAME HAS FOLLOWED ME HERE!

JINGS, CRIVVENS, MICHTY ME,
HEN CANNAE BE LATE FOR TEA!

SIBLING RIVALRY'S LET LOOSE.
WHEN A BONNIE LASS COMES TAE THE HOOSE.

DAPHNE'S COOKIN' FAIR TAK'S THE BISCUIT,
BUT IS GRANPAW BRAVE ENOUGH TAE RISK IT?

HELLO, GRANPAW.

HELLO, LASS. WHIT ARE YE UP TAE?

I'M TAKIN' CLASSES AT THE COOKING SCHOOL, SO I THOUGHT I'D HAE A GO AT HOME.

THAT'S FAIR BRAW, DAPHNE.

ARE YE LOOKIN' FOR SOME FEEDBACK ON YER COOKIN'?

WELL, I'M HOPING I'LL GET ON THE GREAT SCOTTISH BAKE AFF WI' PAUL HOLYROOD.

AYE, BUT HAE YE GOT ONYTHING I CAN TASTE? MEBBE A BIG PLATE O' MINCE AN' TATTIES?

SORRY, GRANPAW, I'M ONLY DOIN' THE BAKING CLASS.

OCHT. A' THAT SWEET STUFF WILL MAK' YER TEETH FALL OOT.

BUT I'LL GIE THEM A TRY, JIST BECAUSE IT'S YOU, MY WEE PET.

HERE YE GO.

ONYTHING FOR YO — OOOH!

THEY MIGHT BE A WEE BIT HARD.

CRUNCH

MY WALLIES!

SNAP!

SEE? I TELT YE SWEET STUFF LEAVES YE WI' NAE TEETH!

I THINK I MAY NEED MAIR CLASSES.

WHIT DIRTY TRICKS IS PAW BROON WILLIN' TAE DO TAE GET HIMSEL' A SHILLIN'?

WHEN PAW GETS HIMSELF INTAE A REAL FLUSTER,
WHIT'S THE BEST EXCUSE HE CAN MUSTER?

GOODNESS ME, IT'S REALLY SOMETHING, TAE HAE A WEDDING WI'OOT A DUMPLING!

IF THE BROON BAIRNS ARE WANTIN' EASTER EGGS, THEY'RE GONNAE HAE TAE USE THEIR HEADS!

PAW BROON'S NO' IN FINE FETTLE,
FOR HE'S IN BED AN' CANNAE SETTLE!

WHICH O' THE BROON MEN WILL HAE THE CHANCE, TAE ASK A LASSIE FOR A DANCE?

WHEN HEN AND JOE TRY TAE COMPETE,
ONE O' THE LADS GETS SAIR FEET!

**THE SUN IS SHININ', IT'S A BRAW-LOOKIN' DAY,
SO GO OOTSIDE AND ENJOY MAY!**

POOR HORACE IS HAEIN' TROUBLE READIN',
SO MAW THINKS IT'S NEW SPECS HE'S NEEDIN'.

THAT LADDIE'S AYE GOT HIS NOSE IN A BOOK.

JINGS, IT'S RICHT IN THERE! IT MUST BE HIS SPECS.

WE'LL GET YE TAE THE OPTICIAN TAE GET A NEW PAIR, HORACE.

THESE ARE PERFECTLY FINE, MAW.

HORACE, THAT'S THE BUTCHER'S.

JINGS. MAYBE I DO NEED NEW SPECS, EFTER A'.

AT THE OPTICIANS...

LET'S HAE A WEE LOOK, THEN YE CAN LOOK AT THE CHART ON THE WALL.

HAPPY BIRTHDAY TO YOU DEC

WHAT CHART? WHICH WALL?

NO.

I DINNAE THINK SO.

DEFINITELY NO. I'LL FIND ANOTHER PAIR...

...IN ANITHER SHOP.

WATCH OOT - TOO LATE.

OOF-YAH!

SLAM!

JINGS, HORACE, THOSE GLASSES ARE BRAW. THAT'S AN AWFY COOL LOOK YE'VE GOT NOO.

LOOK?

I CANNAE SEE ONYTHING WI' THESE KEEKERS!

ACH, HE MADE AN AWFY SPECTACLE O' HIMSEL' THE DAY!

WHIT A STOOSHIE, CAN PAW COPE, IF ANE O' THE CLAN DECIDES TAE ELOPE?

I'M GOIN' SHOPPING LATER, DAPHNE. DAE YE WANT TAE COME WI' ME?

NAW, I CANNAE. I'M BUSY THE DAY.

FLOOERS FOR DAPHNE? WHY WOULD SHE GET A WEE POSY LIKE THIS?

AYE. I'LL BE AT THE KIRK AHEAD O' TIME. THE MEENISTER'S NAME IS GOODCHILD AN' THE BRIDESMAIDS A' KEN WHIT TAE DAE. WE'LL HAE A BRAW BIG DAY!

I'M AWA OOT.

PAW, WE NEED TAE TALK TAE YE.

I HEARD AN' SAW IT A'. FLOOERS AN' A SNEAKY TRIP TAE THE KIRK...

OOR DAPH'S ELOPIN'! I'D AYE WANTED TAE GIE HER AWA TOO.

YE'D HAE TAE GIE HER AWA, YE WOULDNAE GET ONYTHING FOR HER.

MY WEE LASSIE IS NO' GETTIN' MARRIED WI'OOT HER FAMILY. WE'RE GOIN' TAE THE KIRK.

WHIT ARE YOU LOT DAEIN' HERE? YE'RE NO' INVITED!

THAT'S NO' RICHT. NO' INVITIN' YER AIN TAE YER WEDDIN'! WHIT'S THAT A' ABOOT?

MY WEDDIN'? I WISH! THE NEW PHOTOGRAPHER'S A HUNK SO I VOLUNTEERED TAE HELP.

OH, JINGS.

YE DAFT AULD GOWK, PAW BROON. NAE WONDER SHE WOULDNAE INVITE US — WHIT A BEAMER TAE GIE THE LASSIE.

WHEN MUSIC STARTS, YE CANNAE RESIST THE CHANCE
TAE STOP WHIT YE'RE DAEIN' AN' HAE A DANCE.

YE DINNAE NEED MUCH TAE PAY
TAE PLEASE YER PAW ON FAITHER'S DAY!

THE LASSIE IN THE CHIP SHOP'S FINE,
BUT SHE WINNAE GIE HEN HER TIME!

PAW BROON'S VOICE WILL NO' BE IGNORED
WHEN IT COMES TAE HIS BAIRNS PAYIN' THEIR BOARD.

FRIDAY NICHT IN GLEBE STREET...

I'M GLAD THAT WEEK IS OWER.

I'LL MAK' YE A BRAW TEA THEN YE CAN GET ON WI' YER WEEKEND.

MAW, I JUST PAID MA GYM MEMBERSHIP... COULD I GIE YE DOUBLE BOARD NEXT WEEK?

OCH, I SUPPOSE SO.

MAW, I COULDNAE RESIST THIS BLOUSE. IT WAS IN A SALE. CAN I PAY DOUBLE NEXT WEEK, TOO?

WELL, IT'S AN AWFY NICE BLOUSE...

I'M TAKIN' THE NEW LASS FROM TONI'S CHIPPER OOT TONIGHT SO I HAD TAE GET THE CAR CLEANED. I'LL DOUBLE UP NEXT WEEK AS WELL.

I'LL HAE TO TIGHTEN THE BELT A BIT THIS WEEK.

OCHT, NOO THIS IS BEYOND A JOKE.

MAW'S TOO SOFTHERTED WI' YE BIG BAIRNS. WE'VE GOT TAE BE HARD WI' YE, SO TOAST FOR TEA TILL YE A' PAY YER BOARD.

YE AWFY SKINFLINT!

I SUPPOSE YE'RE RICHT. BY THE WAY, I'LL NEED YER PAY PACKET TAE GET THE MESSAGES.

IT'S FOR THEIR AIN GOOD. NOW, MY PAY PACKET...

OH, JINGS, I FORGOT TAE GO TAE THE BUCKIE TAE PICK UP MA PAY PACKET. I WAS TRYIN' TAE FINISH A JOB!

TOAST FOR MY TEA? OCH, THAT'S NO' FAIR.

AN' WHOSE IDEA WAS IT, SHERLOCK?

WHEN WILL YE TELL PAW THAT HIS GAFFER SENT HIS PAY PACKET ROOND EARLIER?

LATER, DAPH, EFTER I'VE MADE MY POINT.

MAW BROON IS FEELIN' THE BLUES,
DREAMIN' O' A ROMANTIC CRUISE.

THE BROONS' PICNIC AT LOCH NESS CAUSES HORACE MUCKLE STRESS!

GRANPAW'S A WELL MEANIN' CHAP,
WHEN THE BAIRN'S TAE TAK' A NAP.

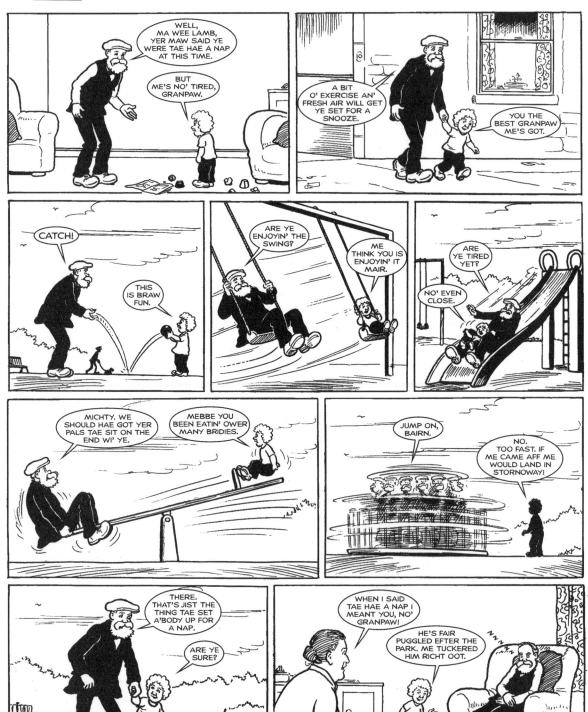

PAW BROON COMES A CROPPER
WHEN HE TRIES TAE CATCH A WHOPPER!

GOODNESS ME, IT'S COMPLETELY SHOCKIN',
GRANPAW TURNS DOON FITBA FOR WALKIN'!

WILL DAPHNE BROON'S NEW HEALTHY SHAKES, BE A PATCH ON THE MINCE MAW BROON MAKES?

DOES PAW BROON REALLY THINK HE'S GOT THE SKILL TAE FIX THE SINK?

OCH, THE SINK'S A' BUNGED UP AGAIN. MAW SAID WE'D BETTER PHONE A PLUMBER ABOOT IT.

WHIT?

SLOSH!

MAW SHOULD KEN BETTER. HAE YE ONY IDEA HOW MUCH A PLUMBER COSTS, DAPHNE BROON? I'M NO' MADE O' MONEY.

WE A' KEN THAT, YE AULD SKINFLINT.

WHY GET A PLUMBER OOT WHEN I CAN DAE THE WORK MASEL'?

BECAUSE THE PLUMBER WILL BE YOUNG AN' HUNKY AN' ACTUALLY KEN WHIT HE'S DAEIN'?

YE NEVER HAE TAE PHONE FOR ONYBODY WHEN THERE'S A BROON ABOOT TAE DAE THE JOB.

GURGLE!

GOOD TAE SEE YE TAK' THE PLUNGE WI' THIS JOB.

I JUST NEED MY WRENCH TAE LOOSEN THIS.

WE NEED A WRENCH TAE LOOSEN YER GRIP ON YER WALLET.

MICHTY! RICHT IN THE CHOPS.

OOF-YA!

CRACK!

DINNAE WORRY. I KEN WHA TAE CALL.

WHY DID WE HAE TAE PHONE TWA LADS — A PLUMBER AN' A DOCTOR?

LET'S JIST SAY IT WAS A WASH OOT, MAW.

MAW BROON JUST NEEDS TEN MINUTES' QUIET,
BUT PAW'S SPOILER MAK'S A RIOT.

THE TWINS GIE GRANPAW LIP
FOR NO' SHARIN' HIS BATTLESHIP.

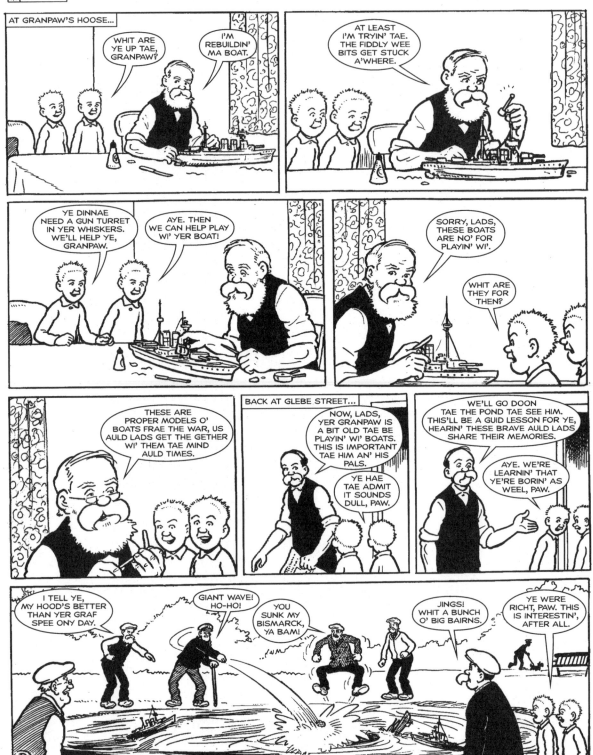

POOR MAW BROON IS IN AN AWFY FLAP,
SHE'S IN DESPERATE NEED O' A NAP!

A CAMPING TRIP, BUT WHA'S THE BEST?
WE'LL HAE TAE PUT IT TAE A TEST!

CHEERS FOR COMING WI' US TAE JUDGE WHA'S THE BEST CAMPER. IT'LL BE ME O' COURSE! I'LL SOON SHOW YOU UP, HEN.

WE'LL SEE ABOOT THAT!

I CANNAE BELIEVE YE TALKED ME INTAE THIS, MAGGIE.

DINNAE FASH YERSEL', FRESH AIR IS GOOD FOR YER PORES.

YOU LOT GET UNPACKED, I'LL PUT UP THE TENT.

AYE, AN' WE'LL TRY AN' PUT UP WI' YOU.

RICHT, LET'S GO AN' GET SOME WOOD. THE FIRE WILL KEEP THE MIDGES AWA. YOU CARRY THE TWIGS, HEN, WE DINNAE WANT YE TAE STRAIN YERSEL'.

IGNORE HIM, HEN!

YE DO KEN FIRES ATTRACT MIDGES, JOE?

YE KEN THAT WE'VE ENOUGH WOOD TAE POWER A STEAMER?

A' RICHT... PUFF! THERE... PUFF! HEN?

AYE... PUFF! NEVER... PECH! BETTER... WHEEZE!

WHIT A BRAW LOOKIN' FIRE I MADE.

AYE, MAYBE YE'RE A BETTER CAMPER EFTER A'.

SUDDENLY!

CRIVVENS! IT'S A CLOUD O' MIDGES!

I TELT YE THEY WERE ATTRACTED TAE FIRE!

A'BODY IN THE TENT!

SO MUCH FOR YER CAMPING SKILLS, JOE. FIRST THE MIDGES, NOO THE TENT POLE'S BROKEN!

I DECLARE HEN IS THE BEST CAMPER, HE NO' ONLY SUPPORTS US, BUT THE TENT INNAW.

I SECOND THAT. HEN'S OOR HERO!

ARE YE STILL 'INTENT' ON SHOWING ME UP, JOE? HO-HO!

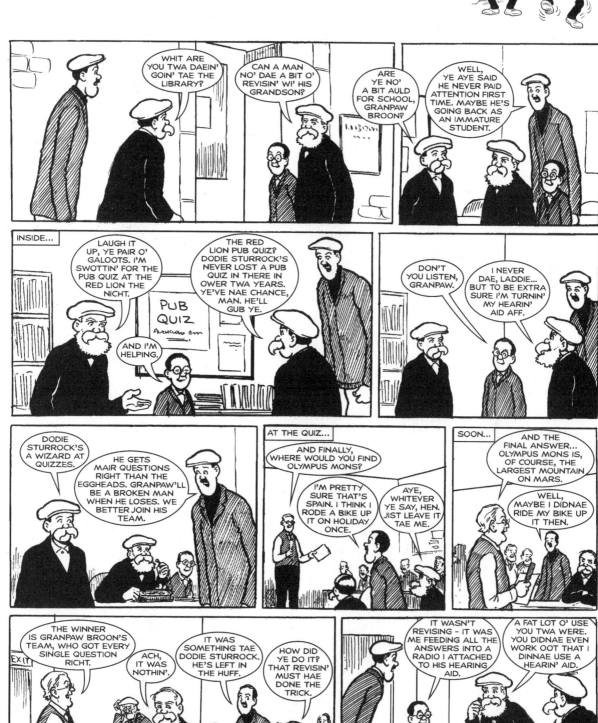

PAW WINNAE LET HEN NEAR HIS 'BIKE', HE TELLS HIM TAE TAK' A HIKE!

GRANPAW'S PLAYIN' A GAME O' BINGO
AN' THERE'S SOMETHIN' FAMILIAR ABOOT THE LINGO!

THE BROONS' DINNER HAS RUN AMOK, WHA DECIDED TAE HAE POTLUCK?

PAW BROON'S NO' HAEIN' FUN, HE ONLY WANTS TAE EAT ONE BUN!

THAT'S IT, PAW BROON. I'VE SEWN THESE BUTTONS ON FOR THE LAST TIME. NAE MAIR SUGAR FOR YE, THESE BREEKS ARE GETTIN' TOO SNUG.

WHIT SUGAR? I HARDLY HAE ONY SUGAR!

AYE, RICHT. THREE SPOONS O' SUGAR IN YER TEA IN THE MORN, TWA MAIR ON YER PORRIDGE, A JAMMY PIECE IN YER LUNCHBOX, A WEE SCONE WI' YER CUPPIE WHEN YE GET IN, AN' CLOOTIE AN' CUSTARD FOR EFTERS! AN' THAT WAS JUST YESTERDAY!

WHIT'S THE MATTER, GRANPAW?

THE NURSE SAYS I CANNAE HAE ANY MAIR SWEET THINGS FOR A WHILE AN' I'VE TAE EXERCISE MAIR.

THAT'S PERFECT! YE CAN BAITH GIVE UP SUGAR TOGETHER AN' GET AFF YER BAHOOCHIES...

AFF YER BAHOOCHIES!

...AN' TAE START, YE CAN TAK' THE BAIRN TAE THE PARK THEN GO GET THE MESSAGES.

WHIT?!

YAY! ME WANTS TAE GO ON THE SWING!

DID YE ENJOY THE PARK, MA WEE LAMB?

AYE! BUT ME HUNGRY NOO!

OCH, WILL YE SMELL THAT, GRANPAW? FRESHLY BAKED BUNS!

OCH, THE POOR BAIRN IS STARVIN' EFTER A' THAT EXERCISE... AN' I AM TAE.

WE'VE WORKED IT A' AFF THE DAY... THERE'S NAE HARM...

WAAH! ME WANT A BUN!

I'LL HAE TWA O' — MICHTY!

Riiiip!

THAT'S TORN IT!

I TOLD YE NO' TAE EAT ANY BUNS, PAW BROON — AND NOO A'BODY CAN SEE YER BUNS! I'VE NEVER BEEN SO BLACK AFFRONTED.

WE WERENAE GONNA BUY ONYTHING! IT WAS FOR THE BAIRN!

AN' WE'VE A'READY WORKED IT AFF THE DAY!

HEN'S IN A HURRY TO ENJOY HALLOWEEN
WILL IT BE THE BEST HE'S EVER SEEN?

GRANPAW BROON SAYS 'OH MICHTY MY', WHEN HE TAK'S ONE LOOK AT THE GUY!

HORACE WANTS TAE GET A CLICK,
SO HE'S COME UP WI' A MAGIC TRICK.

HEN'S REALLY NO' TAE BLAME,
FOR TRYIN' TAE GET HIS LASS HAME.

HEN IS OOT LATE THE NICHT.

AYE. HE'S OOT WINCHIN' WI' THON LASSIE, ALICE.

AN' THERE'S THE LAD HIMSELF. HELLO, HEN. WHIT ARE YE SNEAKIN' IN FOR?

OH, EH, HELLO, PAW. I WAS JUST GOING TAE... BORROW THE BIG LADDER.

WHIT IN THE WORLD DAE YE WANT THE BIG LADDER FOR?

I HOPE YE'RE NO' UP TAE NAE GOOD, LAD.

NO, PAW. IT'S TAE HELP ALICE GET HOME.

ALICE LEFT HER KEYS IN HER FLAT AND LOCKED HERSEL' OOT. WE NEED THE LADDER TO GET HER IN.

OCHT, YE POOR WEE LASSIE. DINNAE FASH YERSEL'. WE'LL GET YE IN.

BUT WE'LL HAE TAE BE QUICK. WHIT WOULD FOLK SAY IF THEY SAW YE SHINNIN' UP A LADDER?

THANKS, A'BODY. I'LL SEE YE IN THE MORN, HEN.

'NIGHT.

RICHT, LET'S A' GET AWA TAE BED OORSEL'S.

I'M PUGGLED AFTER A' THAT.

JINGS, IT'S SNAPPED!

SNAP!

A LOCKSMITH WINNAE COME OOT AT THIS TIME O' NICHT!

THERE'S ONLY ANE THING FOR IT...

OH, THE EMBARRASSMENT.

WHIT'S GOIN' ON... OH, IT'S YOU LOT. CARRY ON.

AYE, THAT'S THE BROONS FOR YE.

YOU WERE RICHT, MAW. PEOPLE DAE TALK IF THEY SEE YOU USING A LADDER.

I HEAR PAW BROON IS RUNNIN' LATE, I WIDNAE WANT TAE MAK' MAW WAIT!

I BETTER GET A WIGGLE ON! I PROMISED MAW BROON I'D BE HAME EARLY THE DAY!

HULLO, SON. I'VE NO' SEEN YE IN A WEEK. WOULD YE FANCY A WEE REFRESHER?

ACH, WHIT KIND O' MAN WOULD REFUSE A CHAT WI' HIS AIN FAITHER? O' COURSE I'LL JOIN YE.

AN HOUR LATER...

THAT WIS A BRAW CHAT. I'LL SEE YE SOON.

BROON? IT MUST BE YOU! I'D RECOGNISE THAT 'TACHE ONYWHERE!

DAVIE ANDERSON? YE MOVED TAE AUSTRALIA YEARS AGO!

I'M HAME TO SEE MA MAW. IT'S HER EIGHTIETH BIRTHDAY.

ANOTHER HOUR LATER...

MICHTY. I SHOULD HAE BEEN HAME AGES AGO.

PAW BROON, JIST THE FELLA I NEED TAE SEE. WE NEED YE FOR AN URGENT MEETIN' AT THE BOOLIN' CLUB.

MUCH LATER...

JINGS, THAT MEETIN' WENT ON FOR AGES!

MAW? WHIT ARE YE DAEIN'?

I'M SO SORRY I'M LATE, PAW. I GOT HELD UP AT THE W.I., THEN I CALLED IN AT MRS MOODIE'S, SHE WAS NEEDIN' SOME HELP WI' HER KNITTING.

DINNAE WORRY, LASS, YE DESERVE SOME TIME OOT. I'VE BEEN IN FOR AGES, IT'S A' RIGHT.

THANKS FOR BEIN' SO UNDERSTANDIN', PAW.

WHIT TIME DAE YE CALL THIS?

AYE, WE'VE A' BEEN WORRIED SICK ABOOT BOTH O' YE! I THOCHT YE WERE COMING BACK EARLY, PAW?

BEEN IN FOR AGES, HAVE YE, PAW?

HELP MA BOAB, CLIPED ON BY MY AIN BAIRNS.

GRANPAW TRIES FOR CLEARER PICS, BUT FINDS HIMSELF IN A RICHT FIX!

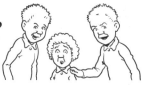

ANE O' THE TWINS HAS PUT OOT HIS NECK,
BUT MA SOON GETS THE WEE BOY IN CHECK.

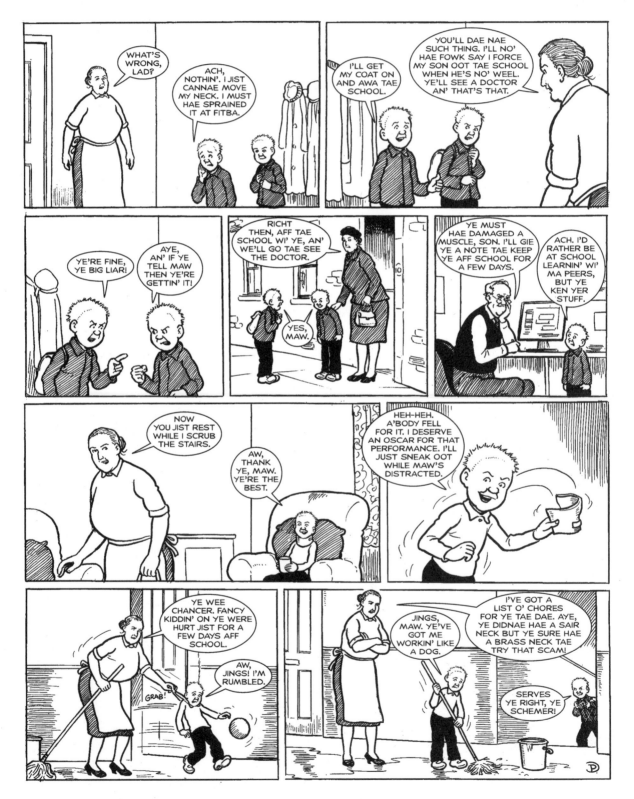

THE BROON LADS ARE THROWIN' THEIR WEIGHT,
TRYIN' TAE TEACH HORACE HOW TAE SKATE.

AT CHRISTMAS IS THERE A BETTER PLACE TAE BE,
THAN WI' A'BODY ROOND THE CHRISTMAS TREE?

MERRY CHRISTMAS

HOGMANAY WI' THE BROONS IS AYE A RIOT,
BUT THIS YEAR THREATENS TAE BE AWFY QUIET.

THE BROONS' CENTRAL HEATING'S BROKE,
AN' IN WINTER THAT'S NAE JOKE!

PAW BROON, IT'S BALTIC IN THIS HOOSE. WE CANNAE STAND IT ONYMAIR! I'M CALLING THE GASMAN TAE COME FIX THE HEATING.

WHIT ARE YE ON ABOOT, WUMMAN? JIST PUT ON ANITHER LAYER.

WE CANNAE PUT ONYMAIR LAYERS ON, YE SKINFLINT!

I'VE GOT SO MANY LAYERS ON I HAVENAE SEEN MA FEET IN DAYS.

GROWIN' LADDIES DINNAE NEED TAE SEE THEIR TOES. JUST GO FIR A RUN AROOND THE CLOSE.

WELL WHIT ABOOT MA TROOSERS?

ALL OOR CLOTHES ARE FROZEN STIFF. I COULD WEAR THESE AS STILTS!

CLOTHES ARE EASIER TO FOLD IF THEY'RE CAULD, MAW.

AN' WHIT ABOOT MY LUGS?

AYE, YE LOOK BONNIE IN THON DANGLY EARRINGS, RICHT ENOUGH.

DANGLY EARRINGS? THEY'RE ICICLES HANGING FROM MY EARS!

MY LENSES ARE FROZEN, I CANNAE READ!

IT'S AYE GUID TAE GIE YER EYES A REST, MA BOY.

BUT IT'S SO CAULD I CAN SEE MY BREATH!

AN' I CAN SMELL THE CURRY PIE YE HAD FOR LUNCH!

MA POOR WEE LAMB! IF YE DINNAE FIX THE HEATING WE'RE GONNAE USE THE FIREPLACE.

ME NOSE IS FROZE!

SO WHIT? NOTHIN' WRANG WI' A NICE FIRE.

AYE, BUT SINCE YE'RE TOO CHEAP TAE BUY FIREWOOD, WE'LL JUST HAE TAE BURN YER PRECIOUS HARRY LAUDER RECORD COLLECTION.

NO! NO' THE LAUDER! YE WIN, I'LL CALL THE GASMAN.

AN' SO...

ME IS WARM NOO.

THAT'S MUCH BETTER.

I'D DO ONYTHING FOR THE LAUDER... EVEN PAY THE GAS BILL.

CRACKLE!

THAT ISNAE WHIT YE'D THINK
GRANPAW WID GIE HIS SON TAE DRINK!

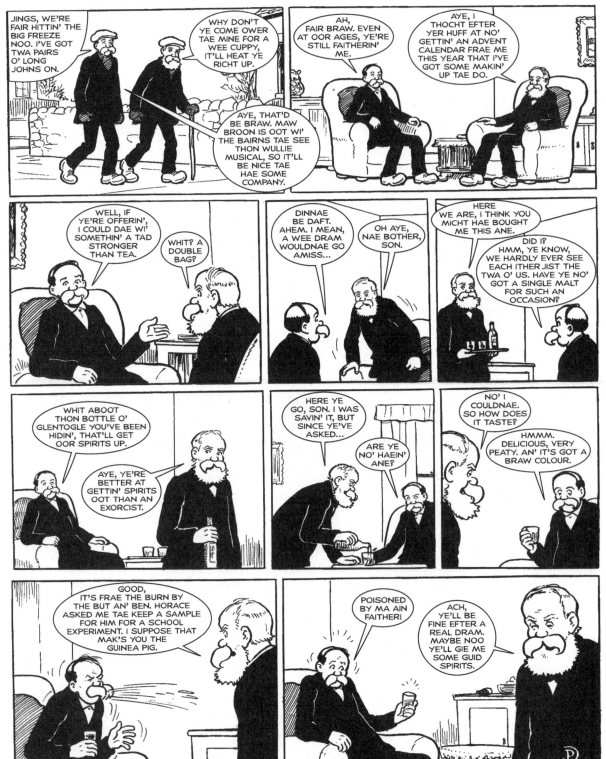

MAYBE GRANPAW SHOULD STICK TAE PROSE
TAE STOP HIM FRAE LOOKIN' LIKE A ROSE.

MAGGIE'S NEW LAD IS AWFY POSH,
BUT COULD HE BE A DEAD LOSS?

WHEN DAPHNE BROON ISNAE IMPRESSED HER NEW BEAU WILL BE AWFY STRESSED!

WHOSE IDEA O' A JOKE WAS THIS? I'VE GOT A VALENTINE CARD "FRAE THE GIRAFFE AT THE ZOO."

YE'RE THE ONLY LAD TALL ENOUGH TAE LOOK INTAE ITS EYES.

I'VE GOT AN E-CARD.

YER PAW EVEN CUT MY TOAST IN A HEART SHAPE THIS MORNIN'.

A CARD FRAE A COMPUTER, AMAZING.

THIS CARD COULD BE FRAE ONY O' ABOOT FIFTY LADS.

YOU'VE BEEN SEEING ECKIE DOW FOR A WHILE NOW, DAPH. DID HE NO' SEND YE A CARD?

NAW, BUT HE'S COMING OWER WI' FLOOERS FOR ME.

HI, DOLL. THESE ARE FOR YOU. HAS YER MAW STILL GOT BREAKFAST ON THE GO?

HERE'S A CARD, DAPHNE. YE'D BETTER READ IT — IT COULD BE FOR YER EYES ONLY.

GET WELL SOON, MUM. LOVE PHIL.

OH, AYE, WELL, ER... MY MATE BOUGHT THEM FOR HIS MA BUT SHE GOT BETTER.

SO, YE GOT THEM FOR NOTHING?

WHIT ABOOT HER — SHE HASNAE BOUCHT ME ANYTHING EITHER. NAE CARD, NAE SWEETIES.

BUT, ECKIE, 2020 IS A LEAP YEAR. A LASS CAN PROPOSE TAE HER LAD THIS YEAR.

AND I'M GOING TAE PROPOSE TAE YOU, ECKIE.

STEADY, DAPH — HAVE YE THOUGHT ABOOT THIS?

ECKIE, I PROPOSE...

...YE TAK' YER SORRY BACKSIDE OOT O' OOR HOOSE FOR GOOD! YE MISERABLE SKINFLINT!

WAY TAE GO, DAPH!

GOOD. I DINNAE WANT HIM IN THE FAMILY.

THERE'S ENOUGH O' US AS IT IS!

BLOWIN' BALLOONS CAN BE TOUGH
WHEN THE BROONS RUN OOT O' PUFF.

WHO DAE YE THINK WILL MAKE AUCHENTOGLE'S BEST PANCAKE?

THE BROONS WILL BE AS HAPPY AS CAN BE
PROVIDED THEY CAN STREAM 4G!

THEY MICHT THINK THEY'RE STRONG, BUT WATCH MAW PROVE 'EM WRONG!

THE BROONS LEARN THAT RAIN IS NO' AYE A PAIN!

IT'S EXCESSIVE, LET'S BE HONEST
THEY MAY AS WELL HAE OPENED A FLORIST!

ALL IS NO' WHIT IT MAY SEEM
WHEN HEN JOINS THE FITBA TEAM!

LIST YER PROBLEMS, ONE AN' A', THEY'LL A' BE SOLVED BY DOCTOR MAW!

WOULD IT REALLY BE AWFY BAD,
TAE HAE EASTER LIKE WHEN PAW WAS A LAD?

THE BROONS' SOFA'S BEING HAULED AFF BUT NO' BEFORE PAW'S HAD A LAUGH!

WI' SO MANY SIBLINGS IT ISNAE NEWS, THAT THERE'S NO' ROOM FOR A SNOOZE!

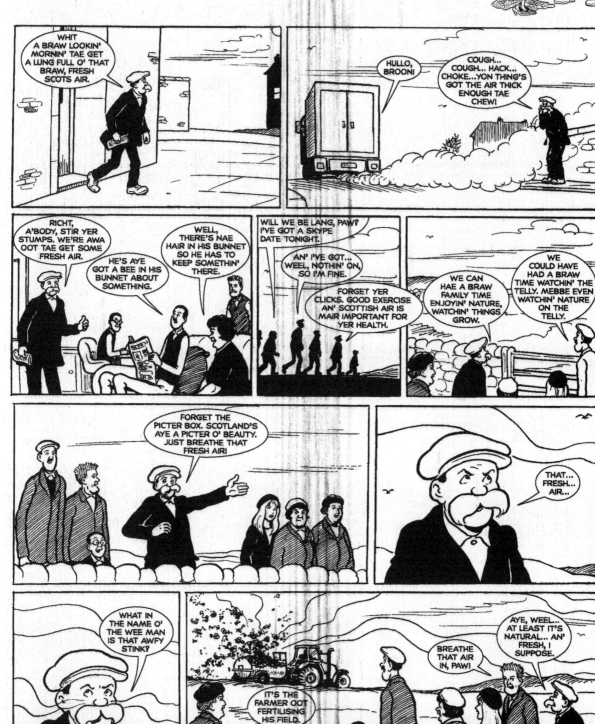

YE WOULDNAE THINK IT'D BE SUCH A CAPER
TAE SIMPLY SIT AN' READ THE PAPER!

I'LL HAE A NICE SEAT TAE MYSEL' AN' ENJOY THE PAPER.

YOU DAE THAT, DAPHNE.

WHAT'S IN THE PAPER, DAPHNE?

MY NOSE, IF YE'LL GIE ME A CHANCE TAE START READIN' IT.

I'LL JUST HAE A QUICK LOOK AT THE FASHION PAGES.

AN', YE'RE NO' INTERESTED IN BUSINESS SO I'LL TAK' THAT SECTION.

WHIT'S THE GAME HERE?

I'LL TAKE THE SCIENCE SECTION.

AN' ME HAS THE CARTOONS.

YOU DIVVYING UP THE PAPER, DAPH? I'LL HAE SPORT.

JINGS. I'M JIST HOLDIN' THE CROSSWORD BIT!

THE CROSSWORD, MY FAVOURITE! THANKS, LASSIE.

GRANPAW BROON!

HERE YOU GO, DAPHNE. YOU HAE THESE PAGES.

THEY'RE A BIT SCRUNCHED UP AN' SCUBBY, MAW.

OCH, THANKS, MAW. THE BEST THING IN A NEWSPAPER IS CHIPS!

THEY SMELL BRAW.

HERE'S THE NEWS, THE REST O' YE ARE NO' GETTIN' CHIPS FOR PINCHIN' DAPH'S PAPER.

THE TWINS JUST CANNAE ABIDE
NO' BEIN' ALLOWED TAE PLAY FITBA INSIDE!

ALL HAIL THE CANNY PAW!
HE'S THE BEST AT DAEIN' A JIGSAW!

MAW'S WELL-MEANIN' MOTHERLY BLETHER IS THWARTED BY THE SCOTTISH WEATHER!

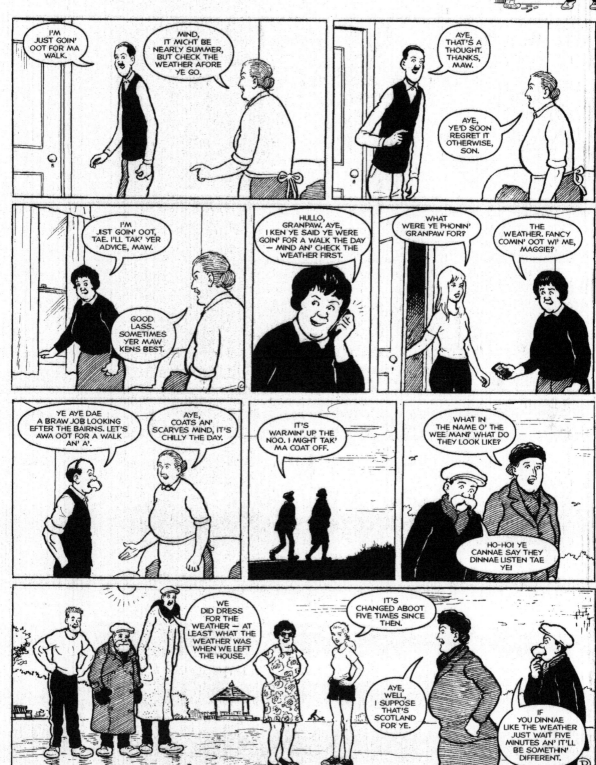

THE BROONS A' START TAE MOAN, WHEN GRANPAW GETS A NEW SMARTPHONE!

WE GOT ANE, PAW, NOW WE JUST HAE TAE TEACH HIM HOW TAE USE IT.

WELL, BEST O' LUCK TAE YE.

WHIT'S GOIN' ON?

WE'VE GOT YE A SMAIRTPHONE SO WE CAN DAE VIDEO CALLS WI' YE.

WHIT DAE WE NEED TAE DAE VIDEO CALLS FOR? ARE YE NO' MAKIN' MA TEA ANYMAIR?!

NO! IT'S SO WE CAN SEE YE'RE A' RICHT IF YE'RE NO' ABLE TAE COME SEE US IN PERSON.

I'M FINE, YE DAFTIES. DINNA FASH YERSEL'S.

BUT IT MEANS WE CAN PLAY CARDS AN' TALK ABOOT THE FITBA WI'OOT YOU LEAVIN' YOUR CHAIR.

ISSAT SO?

HE'S A CANNY LAD, HE AYE KENS HOW TAE CONVINCE THE AULD GOWK ABOUT TECHNOLOGY.

AYE, WEEL, HE GETS IT FRAE HIS PAW.

LATER...

RICHT, LET'S GIE HIM A CALL AN' TEST THE CONNECTION.

GRANPAW, CAN YE SEE US?

WHIT? HALLO? OCH, IT DISNAE WORK. I'LL JUST HAE MA NICE BATH AN' TRY AGAIN LATER.

MICHTY! THAT'S A THOUGHT.

YE'VE PRESSED THE BUTTON TWA TIMES INSTEAD O' ONCE! CAN YE HEAR ME? PRESS IT AGAIN, PRESS IT AGAIN!

THE FISHIN' COULDNAE LOOK BLEAKER,
BUT PAW IS ANGLIN' FOR A KEEPER!

WHIT A TREAT FOR FAITHER'S DAY! FINALLY GETTIN' TAE GO FISHIN'.

AND ME'S GONNAE GO PADDLING!

HELP MA BOAB! IT'S BUSIER THAN TWA FOR TUESDAYS AT TONI'S!

A' THE BEST SPOTS ARE TAKEN, WE'LL NO' CATCH ONYTHIN'!

YE COULDNAE CATCH A COLD IN JANUARY IN DREICH-TOON, BROON!

DINNAE YOU WORRY, PAW, I'VE GOT A PLAN...

OH, I DO HOPE WE CATCH SOMETHING, SON!

CRIVVENS, WOULD YE LOOK AT THAT, GRANPAW, I'VE A BITE ALREADY!

HMPH. MUST HAE BEEN LUCK.

THERE WE GO, YE BEAUTY!

WHIT?! I'VE BEEN HERE SINCE THE CRACK O' DAWN AN' NO' CAUGHT ONYTHING!

ANITHER FOR THE BARBECUE!

JINGS, MA SKILLS AMAZE EVEN ME!

BUT...

LOOK AT THE SCALE O' THIS ANE!

MIND WHIT MAW SAID. MAK' SURE YE GET IT HOOKED IN PLAICE!

THERE MUST BE SOMETHING FISHY GOIN' ON!

I DINNAE KEN WHIT YE MEAN.

AYE, HOW COULD WE CHEAT AT FISHIN'?

THAT WAS A BRAW IDEA YE HAD, MAW, BUT HOW DID YE KEN TAE BRING THE FISH?

WELL, TAE TELL YE THE TRUTH, I AYE GET SOME FRAE THE FISHMONGERS AS A BACK-UP — IN CASE THE FISH DINNAE BITE.

HO-HO, YE'RE A CANNY LASS, MAW BROON. AN' IT'S BEEN A FAIR BRAW FAITHER'S DAY!

GRANPAW BROON THINKS HE'S AWFY SLY,
TRICKIN' THE BROONS INTAE PLAYIN' I-SPY.

NOO THERE'S PLENTY TAE SEE, LET'S HAE A GAME O' I-SPY.

CAN WE NO' JUST HAE A CIVILISED CONVERSATION?

NUT! I WAS A WORLD CHAMPION AT I-SPY. I-SPY WI' MY LITTLE EYE, SOMETHIN' BEGINNIN' WI' "A"...

'T'S EASY – "A" IS FOR AIPPLE.

GOOD, BUT THAT'S NO' IT, MY WEE LAMB.

IS IT ANTS?

THERE'S HUNNERS O' THEM!

'FRAID, NO', BOYS!

WHAT ABOOT AN ASH TREE, OR DAE YE COUNT FRAXINUS EXCELSIOR AS BEGINNING WITH AN "F"?

EH? JINGS, NO' THAT EITHER, SON.

HELP MA BOAB! MA ANKLE!

IS THAT IT? ANKLE?

CRACK!

YE'VE MANGLED ME, I'LL NEVER WALK AGAIN!

NAH, IT'S "A" FOR ACTING. BAD ACTING.

GO ON THEN, WHIT IS IT?

IT'S... IT'S...

AYE?

...IT'S A'BODY. THE WHOLE FAMILY.

WHIT? YE SNEAKY DIDDLER.

"A" IS FOR AULD GOWK!

AN' FOR "AWFY"!

AN' FOR "AWA' WI' YE"!

THAT'S NO' HOW THE GAME WORKS, GRANPAW.

POOR HEN IS FEELIN' DOON,
BUT THAT DISNAE LAST WHEN YE'RE A BROON!

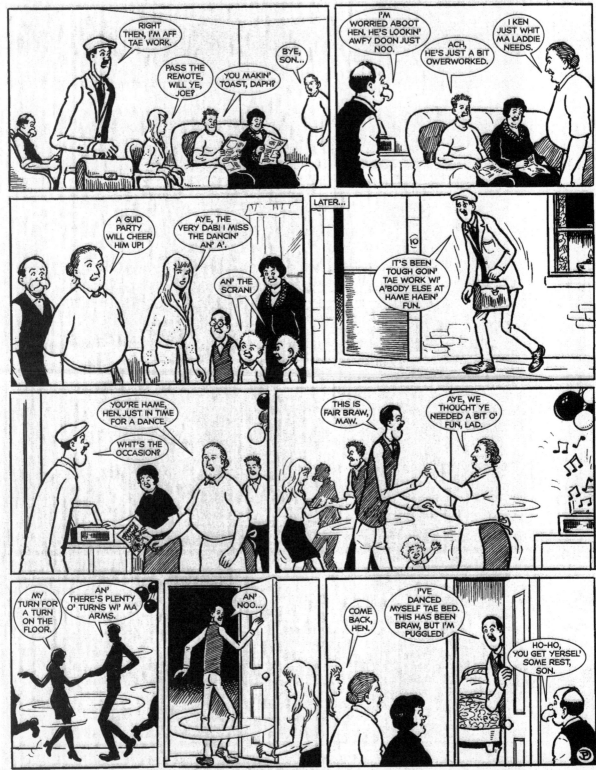

YE WOULDNA THINK OR DARE
TAE TRY TAE CUT THE BROONS' HAIR!

WHEN THE BAIRN WORKS HER MAGIC,
THE RESULT IS TRULY TRAGIC!

WHEN PAW BROON READS AN OLD STORY BOOK,
THE BROONS A' TURN INTAE A BUNCH OF SOOKS!

A FAMILY PHOTIE IS PAW BROON'S WISH, BUT WHIT HE CAPTURES ENDS UP IN A DISH!

WE'VE GOT A FINE-LOOKING FAMILY, PAW.

WE DAE THAT, MAW BROON. I THINK I'LL TAK' A PHOTIE WI' MA FANCY NEW SMAIRTPHONE.

IT'S AYE GUID TAE CAPTURE PHOTIES O' BRAW FAMILY DAYS OOT LIKE THIS. LINE UP, A'BODY THE GITHER, NICE AN' CLOSE.

HERE, HORACE, PAW'S NEW PHONE IS ALMOST AS SMAIRT AS YOU.

NO' QUITE. DINNAE TELL THE DAFT GOWK, BUT HE'S ONLY HAUDIN' IT THE WRONG WAY ROOND.

OCH, I SHOULD HAE PUT SOME PROPER SLAP ON THIS MORNIN'.

DINNAE FASH YERSEL'. HE'S ONLY GONNAE END UP WI' A SELFIE.

I CANNAE SEE YE A'. WHY'S THE BUTTON ON THE ITHER SIDE?

CLICK!

HAUD ON, I'LL TAK' ANITHER ANE. JIST A WEE STEP BACK TAE MAK' SURE YE'RE A' IN IT THIS TIME AN'...

...WHIT? WHAUR DID THE GROUND GO? MA NEW PHONE!

DINNAE WORRY, PAW. UNLIKE YERSEL', YER SMAIRTPHONE'S WATERPROOF. HAUD STILL TILL I GET YER PHOTIE TAE REMEMBER THE DAY BY.

HAUD STILL? I CANNAE HAUD STILL THERE'S SOMETHIN'...

NOO THAT REALLY IS SMAIRT! HOW DID YE MANAGE THAT?

EH? NEVER MIND HOW — JIST TAK' A PHOTIE O' ME WI' IT.

WILL YE LOOK AT THAT? THE ANE THAT DIDNAE GET AWA'!

HAMEMADE FISH SUPPERS A' ROOND. COME AN' GET THEM.

YE MAK' A BETTER FISHERMAN THAN A PHOTOGRAPHER, PAW. NAE FISH'LL OUTSMAIRT YOU.

MAYBE, BUT THE SMAIRT TECH'LL AYE TRIP HIM UP!

IT'S JIST THE KIND O' STAG NIGHT,
THAT GIES MAW BROON AN AWFY FRIGHT!

GRANPAW AN' THE BAIRNS' FORAGIN' DAY, RESULTS IN A MICHTY TAKEAWAY!

AT THE BUT AN' BEN...

A' THIS COUNTRY AIR HAS GIVEN US GRAND APPETITES. WE'RE NEEDING MAIR SUPPLIES FRAE THE VILLAGE SHOP.

WE COULD FORAGE DOON THE ROADSIDE VERGES FOR WILD FOODS.

NAW, YE'D HAE US A' POISONED.

NOT AT ALL, I'VE STUDIED EDIBLE WEEDS AND PLANTS.

JIST FORAGE IN YER POCKETS FOR CASH.

WE'LL GIE THIS FORAGIN' A TRY. NEVER MIND WHIT THAT LOT SAYS.

THAT'S FAT HEN — IT'S LIKE WILD SPINACH.

YE'RE A' DAEIN' WELL. I'D BETTER FIND SOMETHING TAE.

AN' ME FOUND BLAEBERRIES.

LOOK, THERE'S HAZELNUTS ON THE TREE.

AHA! THIS'LL DAE ME...

WE CANNAE EAT THAT, GRANPAW.

BITES

MA SIGN! IT BLEW AFF MA VAN A WEEK AGO! ORDER UP WHATEVER YE WANT — THAT WAS AN EXPENSIVE SIGN.

...AN' IT MICHT JIST GET US A' FED.

BOGLE BITES

GLEN BOGLE BITES

CHEESEBURGERS HOT DOGS CHICKEN NUGGETS MACARONI

HOT DOGS, BURGERS

LATER...

WELL WHIT DID YE FORAGE FOR SUPPER? TOADSTOOLS AND AN AULD ROADKILL RABBIT?

OR MAYBE NETTLES. I HEAR YE CAN MAK' SOUP WI' THEM.

LAUGH A' YE WANT BUT JIST YOU WAIT.

CHEESEBURGERS, HOT DOGS, CHICKEN NUGGETS, FISH SUPPERS, VENISON STEAKS, VEGGIE SAUSAGES, MAC AN' CHEESE AND LOADS O' ICE CREAM.

HERE'S WHIT WE FORAGED.

TUCK IN, A'BODY.

WHIT? BUT HOW?

HA-HA. TRUST GRANPAW BROON.